LA RATONCITA
QUE BUSCABA
MARIC

Una histoira contada po

Francine Vidal

Ilustrada por

Martine Bourre

Brincacharcos

Había una vez una ratoncita que vivía
despreocupada en una granja muy lejos de aquí.

En la cocina siempre encontraba qué comer,
en la recámara dormía sobre una blanda almohada,
en el granero jugaba todo el día.

Un día, bajando la escalera,
se encontró una moneda.

—Mmm, ¿qué me podré comprar?...
¿Un vestido? ¡No estará a la moda!
¿Una salchicha? ¡No estará muy buena!
Mejor, ¡ya sé! ¡Quiero un marido!

Muy contenta, va al mercado y se compra...
¡...no, no un marido!
¡Un listón rojo para verse bonita!

Rápidamente, la ratoncita se viste, se maquilla y con el listón rojo
se hace un moño en la punta de la cola.

Y ahí está, lista, lindísima, frente a su casa.

Cuando los animales vieron a la ratoncita,
se quedaron embobados.

—¡Eh!, ¿has visto qué hermosa
está la ratoncita?

—¡Órale, la ratoncita!

—¡*Guau!*

—¿Ya vieron a la ratoncita?

En primero en acercársele fue **el gallo**,
que le dijo:

—¡Qué bonito es ese moño que llevas en la cola!
¡Ratoncita, ratoncita, me quiero casar contigo!

—¡Cántame primero, déjame oír tu voz!
—respondió la ratoncita.

—¡Quiquiriquiiiijíí! ¡Quiquiriquiíí!

—¡Caramba, haces mucho ruido, no me gusta!

—¡Ni modo! —dijo el gallo, y se fue.

Entonces **el pato**
de un aletazo, voló hasta ella.

—¡Qué bonito es ese moño que llevas en la cola!
¡Ratoncita, ratoncita, me quiero casar contigo!

—¡Cántame primero, déjame oír tu voz!

—¡Cuac, cuac, cuac, cuac, cuac!

—¡Caray, qué escándalo!

—¡Qué lastima! —dijo el pato, y se zambulló en su estanque.

Finalmente **el cerdo**,
saliendo del baño, le acercó el hocico.

—¡Qué bonito es ese moño que llevas en la cola!
¡Ratoncita, ratoncita, me quiero casar contigo!

—¡Cántame primero, déjame oír tu voz!

—¡Oink, oink, oink!

—¡Uy, uy, uy, seguro te equivocaste,
qué miedo!

—Bueno, bueno —gruñó el cerdo,
y se alejó de ahí.

Otros animales cantaron:
el perro, el burro, el chivo…
pero la ratoncita los rechazó a todos.

Al final del día
incluso **el gran caballo negro** se presentó.

—¡Qué bonito es ese moño que llevas en la cola!
¡Ratoncita, ratoncita, me quiero casar contigo!

—¡Cántame primero, déjame oír tu voz!

—¡Hiiiiiii, hiiiiiii!

—¡Ay, ay, qué ruidoso! ¡Vete!

—¡Brrrrrrr! hizo el caballo, y se alejó con la crin al viento.

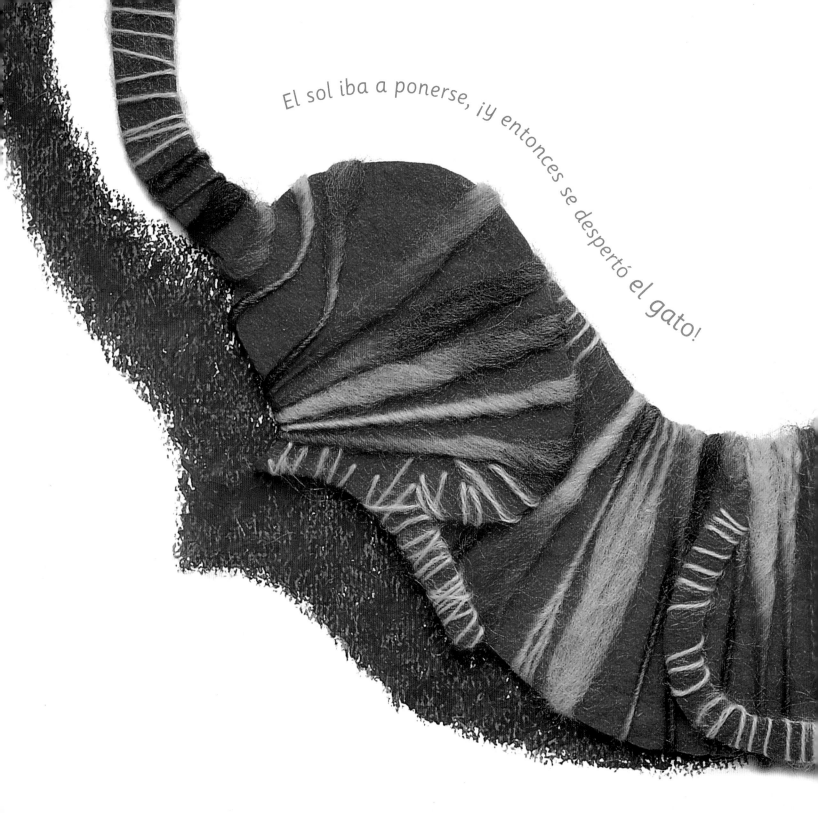

El sol iba a ponerse, ¡y entonces se despertó el gato!

Se estiró, se alisó los grandes bigotes y, de un salto
suave y silencioso, se acercó a la ratoncita.

Le dijo, viéndola directo a los ojos:

—¡Qué bonito es ese moño que llevas en la cola!
¡Ratoncita, ratoncita, me quiero casar contigo!

—¡Cántame primero, déjame oír tu voz!

—¡Miau miaaaauuuu!

—¡Ay, sí, qué bonito!

La ratoncita se restregó
entre las patas del gato,

—¡Miiiiaau!

brincó sobre el lomo del gato,

—¡Miauuu!

y le dijo al oído:

—Te acepto por esposo.

—¡Miau!

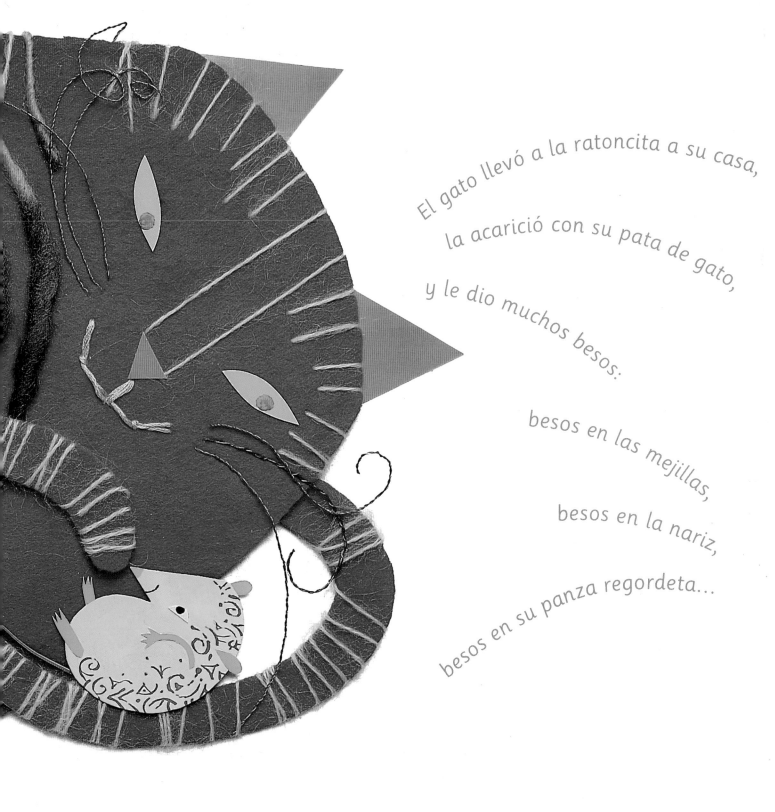

El gato llevó a la ratoncita a su casa,

la acarició con su pata de gato,

y le dio muchos besos:

besos en las mejillas,

besos en la nariz,

besos en su panza regordeta...

y cuando ya no pudo resistir,
de un solo bocado,

se la comió.

¡Y desde ese día,
a causa de esta historia
los gatos se comen a los ratones!